LES COPAINS DU COIN
LE MANTEAU COOL

Larry Dane Brimner • Illustrations de Christine Tripp
Texte français d'Hélène Pilotto

Éditions
SCHOLASTIC

Aux enfants cool de l'école Ivey Ranch
— L.D.B.

À mon oncle, Leonard White
— C.T.

Catalogage avant publication de la
Bibliothèque nationale du Canada

Brimner, Larry Dane
Le manteau cool / Larry Dane Brimner;
illustrations de Christine Tripp;
texte français d'Hélène Pilotto.

(Les Copains du coin)
Traduction de : The Cool Coats.
Pour enfants de 4 à 8 ans.

ISBN 0-439-96268-4

I. Tripp, Christine II. Pilotto, Hélène III. Titre.
IV. Collection : Brimner, Larry Dane. Copains du coin.

PZ23.B7595Ma 2004   j813'.54   C2004-902788-3

Édition publiée par les Éditions Scholastic, 175 Hillmount Road, Markham (Ontario) L6C 1Z7.

5 4 3 2 1   Imprimé au Canada   04 05 06 07

Un livre sur

la gratitude

Alex et Gaby attendent JP dans
le hall d'entrée de l'immeuble.
Chaque matin, les trois amis
se rendent ensemble à l'école.

Quand les portes de l'ascenseur s'ouvrent sur JP, Alex cligne des yeux. Il regarde ensuite Gaby.

— Je vois double, dit-il.

À leur tour, Gaby et JP se regardent.
Ils portent tous deux le même manteau.

— Pas mal cool, ton manteau, disent
Gaby et JP en même temps.

Puis ils éclatent de rire, comme si
c'était la meilleure blague qu'ils
avaient jamais entendue.

Alex examine son propre manteau. Il n'est pas bleu. Il n'a pas de capuchon bordé de fourrure.

Tout à coup, Alex n'a plus l'impression de faire partie des Copains du coin. C'est ainsi que ses amis et lui se surnomment parce qu'ils habitent tous les trois le même immeuble, au coin de la rue.

Alex songe aux manteaux bleus pendant tout le trajet vers l'école. Ils sont vraiment cool.

13

Les manteaux occupent ses pensées toute la journée. S'il avait un manteau comme celui de Gaby et de JP, les trois Copains du coin auraient la même allure.

— Maman! crie Alex en rentrant à la maison, après l'école.

Sa mère apparaît dans le cadre de porte de son bureau.

— J'ai besoin d'un nouveau manteau, annonce Alex.

— Tu as déjà un nouveau manteau, répond sa mère. C'est celui que tu voulais.

— Je sais, dit Alex. Mais maintenant, j'en veux un comme celui de Gaby et de JP.

— Je suis désolée, Alex, dit sa mère.
Nous n'avons pas les moyens de t'acheter
un autre manteau.

Alex soupire. Il se rue vers sa chambre.

Le lendemain matin, Alex est
encore de mauvaise humeur.

RIGOL-O-SON

Après le déjeuner, il se prépare
pour l'école.

— Tu sais, lui dit doucement
sa mère, tout le monde n'a pas
la chance d'avoir un nouveau
manteau bien chaud.

École Monseigneur-de-Laval
bibliothèque

25

Alex réfléchit. C'est vrai. Il a vu
des images de gens très pauvres
à la télévision.

Il regarde sa belle chambre. Puis il
s'emmitoufle dans son manteau tout
neuf. Oui, il a vraiment de la chance.

— Je m'excuse, murmure-t-il à sa
mère, avant de se blottir contre elle.

Plus tard, JP demande à Alex s'il veut qu'ils échangent leurs manteaux pour la journée.

Alex lui fait signe que non.
Il trouve son propre manteau
bien cool maintenant.

Titres de la collection

LES COPAINS DU COIN